하루 10분, 고전 필사

_____年 _____月 _____日

9791192564024

KB259719

하루 10분, 고전 필사

_____ 年 _____ 月 _____ 日

하루 10분, 고전 필사

年 ___ 月 ___ 日

하루 10분, 고전 필사

年 月 日

年 月 日

하루 10분, 고전 필사

年 ___ 月 ___ 日

하루 10분, 고전 필사

___年 ___月 ___日

하루 10분, 고전 필사

年 ___ 月 ___ 日

年

하루 10분, 고전 필사

하루 10분, 고전 필사

年 ___ 月 ___ 日

___ 年

年 ___ 月 ___ 日
___ 年
하루 10분, 고전 필사

年 ___ 月 ___ 日

하루 10분, 고전 필사

年　月　日

年　月

하루 10분, 고전 필사

年 ___ 月 ___ 日

하루 10분, 고전 필사

年 ___ 月 ___ 日

하루 10분, 고전 필사

___년 ___월 ___일

하루 10분, 고전 필사　　　　　　　_________ 年 ___ 月 ___ 日

하루 10분, 고전 필사

年 ___ 月 ___ 日

하루 10분, 고전 필사

年 ___ 月 ___ 日

하루 10분, 고전 필사

年 ___ 月 ___ 日

하루 10분, 고전 필사

年 ___ 月 ___ 日

하루 10분, 고전 필사

_____ 年 _____ 月 _____ 日

하루 10분, 고전 필사

___年 ___月 ___日

年 ___ 月 ___ 日

하루 10분, 고전 필사